ISHII
YUKARI

石井ゆかり

牡牛座

TAURUS

WAVE 出版

はじめに

この本は、12星座占いで「牡牛座」に当てはまる人たちがどんな世界に住んでいるのか、を考えた本です。

とはいえ、12星座占いについて、「この多種多様な人間という存在が、たった12のタイプに分類できるわけはないだろう！」という批判があるのは確かです。

そのご批判は、もっともだと思います。

実は、星占いは、「人を12種類にタイプ分けする性格判断の占い」ではありません。正式には、10個の星を12星座という地図の上に並べて、その星々の機能やつながりを詳細に読み取っていく、もっと複雑なものなのです。

「あなたは牡牛座です」というのは、「あなたが生まれたとき、太陽は空において、牡牛座のエリアにありました」ということを意味しています。星占いで用いるほかの星、月や金星や水星などは、またべつの位置にあるわけです。同じ「牡牛座の人」でも、実に様々な個性を持っていることを、本来の星占いは、無視しているわけではないのです。人は実にさまざまな要素からできていて、ひとりの人のなかに相矛盾する要素がたくさん含まれています。

とはいえ、皆様もご存じのとおり、太陽系でもっとも大きな星は、太陽です。太陽系でもっとも重要な星は太陽である、と言ってもいいと思います。

この、「もっとも重要な星」である太陽の位置から、その人を印象づけるある種の色、ムードの基調となっているカラーを読み取ろうとするのが、太陽の位置による12星座占いです。

12星座は、天空を区分する地図です。12の「地方」「国」がそこにあるわけです。星占いで用いる10個の星、太陽・月・水星・金星・火星・木星・土星・天王星・海王星・冥王星は、順次、その国々を旅していきます。これらの星々にはすべて、神様の名前がついています。いわば、擬人化されているのです。この神々は、12星座という各国を訪問するとき、「郷に入っては郷に従え」とばかりに、その土地の言葉をしゃべり、その土地の「土地柄」を性格として帯びることになります。

ひとりの人が生まれたとき、10個の星がどの星座のどの辺りにあったか、を記した図が、ホロスコープです。あなたが生まれたとき、太陽という強く美しく輝く神様は、牡牛座の言葉を話し、牡牛座のように振る舞っていました。そのため、あなたの生き方にも、この「牡牛座の太陽」が輝いている、というわけです。

本書では、ほかの星の様子をそっちのけにしてこの太陽のことだけを書いていきますから、あなたに当てはまらないこともたくさんあると思います。でも、この牡牛座の太陽という神様があなたの人生のどこかに、いつも必ずいるのだ、というのが、星占いの主張するところです。

・星座の境目について

太陽は毎年、同じ時期に同じような位置にやってきますから、お誕生日が同じなら、年齢が違っていても同じ「牡牛座」です。ただし、境目のあたりに生まれた方は、ちょっと事情がちがいます。

境目の方も、生年月日と生まれた時間により、太陽星座を特定することができます。各年の牡牛座の期間は巻末の表をご覧ください。

CONTENTS

牡牛座

牡牛座の風景

牡牛座は、12星座のうち2番目に位置する星座です。

牡牛座よりもひとつ手前の牡羊座が「スタート」で、この世に生まれ出る！ような段階だとすれば、牡牛座は、この世に生まれ出てからまず最初にすること、を象徴しています。

この世に生まれ出てからまず、すること――それは、手や足や目や耳や口を使って、自分に一番近いところから、周囲をくまなく探っていくことです。

手で確かめ、なんでも口に入れて、「これは大丈夫」と確かめていく、この衝動が牡牛座のしくみにしっかりと組み込まれています。といっても、牡牛座の人が子どものように無分別だという意味ではありません。牡牛座の人は、「感覚」を基準に生きる人々だ、ということなのです。

感覚。

「あの人は感覚的に物をいう」などという言い方は、「あの人の言うことはあやふやだ」という意味を含んでいます。でも、感覚とは、本来、あやふやどころか、非常に揺るぎない基準です。

熱いものは熱い、冷たいものは冷たい。美味しいとか、良い匂いだとか、これらのことはどんなにしても騙すことができません。どう説得されても不味いものは不味いとしか思えませんし、ある石を触って「ごつごつしているな」と感じたなら、次の日触ってもやっぱり同じように「ごつごつ」しています。

自分にとってもっとも信用できる基準、それが、感覚です。

牡牛座の世界は、実にゆたかです。

美しい色彩や心地よい布、価値あるものやかわいらしいものであふれています。牡牛座の人々はそれらを集め、コレクションし、味わい、楽しみ、心から愛でます。牡牛座は「口」という部位を管理する星座でもあります。ですから、牡牛座の人はゆっくりと長く話します。たくさんの言葉を持っていて、まるで食べものを味わうように、言葉が持っている味わいを口のなかで楽しむことがあります。

食べることを愛し、食べものを作ることを愛します。音を愛し、香りを愛し、形を愛し、色を愛します。時には素晴らしいバッグの縫い目やら、古びた茶碗のひびまで愛します。そうした愛は、加速することも減速することもなく、時計の針が刻む安定したリズムのようです。

牡牛座の世界には、とても正確で決して外の世界から影響を受けない、ひとつの時計が据えられています。牡牛座ワールドの中心にある王城には、非常に大きな時計が、絶対に遅れることも進むこともなく、大きくしっかりした音で、つねにひとつのリズムを刻み続けているのです。このリズムは、ゆっくりしていますが、止まることがありません。

しばしば、ほかの星座の人々が、この確かなリズムを拝借しにやってくることもあります。牡牛座の世界を訪ねる旅人は、滞在中、自然にそのリズムに合わせて生活し、安心と心地よさを感じます。

牡牛座の世界の時計は、どんなに急かされても、どんなに邪魔されても、絶対に変化しないのです。外界から影響を受けないこの時計は、外界に影響を及ぼします。あなたがしばしば、周囲にとってすぐれたペースメーカーやメトロノームとしての役割を果たせるのは、このためです。

牡牛座の世界の特徴はもうひとつ「集中」です。

牡牛座の人々は、パワーを分散しません。あるものが気に入ればどっぷりそれにのめり込みます。ほかのものに気を散らしたりしないのです。牡牛座の人々はしばしば、真面目で誠実だ、と言われますが、それは道徳心によってそうなっているというより、この「集中する」という癖によるのではないかと思います。

牡牛座の人が複数のものに気を取られたり、あれこれ気にしたりしているとき、それは気が散っているというよりも、「安心してどっぷり集中できるもの」を探している、ということになります。そして、それを探り当てると、脇見などする気もなくなってしまうのです。

牡牛座の分類

星占いの上で、12星座はいろいろなグループに分類されます。「この星座はほかの星座とどう違うのか」ということから、その星座の個性やカラーをある程度定義できるわけです。

以下、牡牛座がどんなグループに所属しているのか、いくつかご紹介します。

まず、12星座は「四季」に分けられます。星占いは北半球で生まれましたから、そのイメージは日本の四季と同じです。

牡牛座は、春の星座です。

春の星座に属するのは、牡羊座・牡牛座・双子座ですが、このうち、牡羊座は「春の始まり」を、牡牛座は「春爛漫」を、双子座は「春から夏へ、初夏」を担当しています。

桜の花や野の花がさまざまな色彩に輝いて咲き誇る、あの春のもっとも輝かしい時間が、牡牛座の管理下にあります。蜜はもっとも甘く、モンシロチョウが盛んに恋をし、畑に撒かれた穀物が芽を吹いてどんどん伸びていく、ゆたかな季節です。


12星座はさらに、古代ギリシャにおける「四大元素」の思想を軸としています。

四大元素とは、火・地（土）・風（空気）・水です。

火は稲妻のような「直観」を、地は形あるものに触れる「感覚」を、風は関係を扱う「思考」を、水は人と人とを結びつける「感情」をそれぞれ扱います。

牡牛座はこのうち、「地の星座」に属しています。

触角、味覚、視覚、聴覚、嗅覚の五感が牡牛座の世界においてもっとも優先されます。さらに、「価値あるもの」も地の星座の管轄です。「手に職」と表現されるような職人的・専門的な技術職は地の星座に関係する分野です。さらに、優れた五感を要求する音楽や美術などの芸術も、地の星座と強い結びつきを持っています。

黄金やプラチナ、ダイヤモンドなどの、大地から出る鉱物、宝石類は、地の星座の支配下にあります。ここから派生して、金融や保険など、価値そのものを扱うような分野も、地の星座に関係が深いとされています。

また、12星座は「男性星座・昼の星座」「女性星座・夜の星座」という2種類にも分類されます。牡牛座はこのうち、「女性星座・夜の星座」に分類されます。

これは、一般的な「男性的・女性的」というイメージの分類とはちょっと違います。男性星座は「ロゴス（論理・切断）」を、女性星座は「エロス（関係・結合）」をそれぞれ、象徴しているのです。たとえば、男性星座的な力は「スペシャリスト」で、女性星座的な力は「マネージャー、ジェネラリスト」のようなイメージで捉えることができます。男性星座は「成果主義・相対評価」ですが、女性星座は「絶対評価・能力評価」のような傾向があります。男性星座は断じる父性を、女性星座は包み込む母性を象徴します。いわゆる「縦割り行政」のような分断・集中する力は男性星座の管轄で、「横断的連携」のように垣根を越えて交わる力は女性星座の管轄です。

牡牛座は、女性星座のほうに属しています。ですから、まとめ、融合し、隔てを越えるような力をその内に抱えているということになります。

星占いは、古代の認識方法に従っています。そして、現代にも、人間はその認識の形から完全に逃れてはいません。その認識方法とは、「類似」です。なにかとなにかが似ている、ということから、人はそこに意味やつながりを認め、頭のなかに意味の集合体を作り出します。

「牡牛座」を象徴する「牡牛」は、大地にゆったりと座っている姿でイメージされます。獅子座や牡羊座のように、「四つ足で歩く動物（獣）」によって象徴される星座は、天秤座（天秤を持つ女神）や乙女座、双子座などの「人」に象徴される星座よりも、純朴で飾らない態度を取るとされていますが、牡牛はそのおっとりとしたマイペースのためか、ほかの「獣星座」よりも落ち着いた美しいイメージをあたえられているようです。

場所

牧場、安定した場所、平らな場所、芝生、よく手の入れられた農地、地下室、貯蔵庫（ワインセラーなど）、天井の低い平屋。

特に、小麦やとうもろこしなどの畑の風景は、牡牛座のゆたかなイメージに重なります。日本で言えば、広々とした田んぼは、牡牛座のイメージにふさわしいと思います。

牡牛座が象徴するゆたかさを感じられる場所や、文字通り「牡牛」が好みそうな場所が、牡牛座の管轄となっています。

牡牛座の人がそうした場所に身を置いたとき、自分が本来持っている才能や自分にふさわしい生き方などを、自然に実感できるのではないかと思います。

あまりにも人工的な場所、土や自然の匂いが感じられない場所、地面から遥かに離れてしまうような高層階などは、牡牛座の気持ちにはあまりぴったりこないでしょう。その素材が大地に根ざしていることを五感で感じられないようなものに囲まれていると、おそらく、落ち着いた気持ちにはなれないのではないかと思います。

色

牡牛座が象徴するのは、白にレモン色を混ぜた色、とされています。

春の星座にはすべて「白」が混ざっていますが、これは春という季節の純粋さ、新しさを象徴しているのかもしれません。

また、牡牛座は金星と結びつけられている星座で、金星が象徴する色は白、パープル、そして、春の空に手を伸ばす森の風景のような、淡い空色、茶色、緑色などとされています。

牡牛座には素晴らしい色彩感覚に恵まれている人が多く、すべて美しい色、微妙な色あいは牡牛座のもの、と言えるかもしれません。

金星は美を象徴する星ですし、牡牛座の神話自体が「神が姿を借りた、真っ白な美しい牡牛」の物語となっています。「白」は、この神話に由来するのかもしれません。

そのほか牡牛座の世界に属するもの

ショール。
ケーキ、お菓子、甘いもの、うまみの深いもの、料理。
美しい庭、鉢植え、花を育てること、花を活けること。
楽器、特にフルートやトランペットなど口を使う楽器。
歌、アナウンス、語学、リボンや布、フリル、パステルカラー、愛らしさ。
ボタン、マグカップやお皿などさまざまな器。

穀物、金塊、コイン、金融、貯金、コレクション。
ピアノ、ネックレス、チョーカー、襟のついた服。
技術、職人、器用さ、創作、工作、装飾、ブランド品。

たとえばこんなものたちが、牡牛座の国の住人です。
そして牡牛座のあなたも、この国に一緒に住んでいます。

価値観

牡牛座は、まず感覚を喜ばせるものを好みます。さらに、高い価値観を身につけたいと願い、その価値観に合ったものを引き寄せようと努力します。

自分自身や自分の恋人、子どもなどを、自分の所有する宝物のように見なすこともあります。知識や言葉を、頭のなかにどんどん「貯蔵」するように貯め込んでいくことができます。そして、それらを純粋でストレートなかたちで取り出すことができる人々です。

牡牛座の価値観は、具体的なものや物質的なもの、現実世界において力を持つもの、に置かれます。机上の空論を喜びませんし、積み重ねる努力の意義をよく知っています。さらに、なにかが「よい」と思うと、それをどんどん続けていくことができます。牡牛座の価値観は、「いろいろなものを集める」ところにはなく、「なにか絶対的によい一種類のものを集める」ところに向かいます。

牡牛座の人のなかには、お気に入りのブランドを決めている人が少なくありません。あるものに価値を認めると、そこにとどまることがもうひとつの価値になるのです。良いものは良い、そして、良いものの良さは変わらない、というのが牡牛座のモットーです。

大好きな人からの贈り物でも、品質に問題があったり好みのものでなかったりした場合は、ハッキリそう言ってしまいます。言わないまでも、表情にそのことが表れます。牡牛座の人を喜ばせるには、ただ心がこもっているだけではなく、真に上質なものを贈る必要があるわけです。

経済的に不安定になると、牡牛座の人は精神的にもとても不安定になります。

生活における物質的安定は、牡牛座の人にとって欠かせないことなのです。財政面での安定を得るために、牡牛座の人はとても努力します。経済的に困窮しはじめると、その不安をぬぐい去るかのように、かえって買い物をたくさんしてしまうこともあるようです。牡牛座の人はケチではありませんが、物質的なゆたかさというものを大変重んじます。ですから、大きな財を成す人も少なくありません。とはいえ、安全と安定を好む傾向があるので、最初からひとりで事業を立ち上げたりはせず、まずは「寄らば大樹の陰」ではありませんが、大企業に就職したり、公務員などの安定した立場を得るところから「修行」をスタートすることが多いようです。そして、持ち前の粘り強さが、その「修行」を確実に成功に導いてくれます。

ころころ変わる、ということは、牡牛座にとってはもっとも忌むべきことです。相当苦しい状況に置かれても、牡牛座はその状況を変えようとしないことがあります。どんなに辛くても、変化を選択するよりはマシ、と思ったり、そもそも「変えよう」という発想自体が思い浮かばなかったりするようです。一度、牡牛座が変化を決めたら、それは絶対に撤回されません。徹底的に変化するか、決して変化しないか。牡牛座の世界は、そんな「不変」のルールに守られています。

中立的で、公平性を重んじ、物事をシンプルに捉えますし、人を裏切りません。自分の意見を変えない頑固なところもありますが、不思議な「素直さ」を持った人が多く、誰かの主張に感動すると完全にその人の言うとおりにするような、無邪気な信じやすさも持っています。なにかが「いい！」と感じると、徹底的にその対象に従う忠実さを示すのです。感情は安定的なのですが、感動しやすいところがあり、その感動が一定のラインを越えると、とてもたやすく「感化」されることがあるのです。

とはいえ、「感化」されると誰よりものめり込むため、偽物には途中ですぐに気づきます。ただ、継続性や持続性が強いので、疑いを抱いても、そのままズルズルと続けてしまうようなことも、時に、あるようです。

しかし基本的には、いいと思ったことは何度も真剣に繰り返すので、牡牛座の人が最終的に認めるものの価値は、とても丈夫で、錆びたりすり切れたりする心配がありません。気軽に手にとって気軽に捨てる、ということは、牡牛座の世界にはあり得ないことなのです。

行動パターン

自分から率先してみんなを引っ張っていく！　というようなガツガツした感じは、牡牛座にはあまり、ありません。

ですが、そのしっかりした審美眼やどっしりした存在感、現実的で説得力に富む判断力などは、自然に周囲の信頼を集めてしまいます。また、計数の感性も鋭いので、いつのまにかリーダー的な地位に就いていた、ということが少なくないだろうと思います。

牡牛座の人々は、物事にたっぷり時間をかけます。

あまりにもゆっくりなので「やる気がないのかな？」と思えることもあります。でも、牡牛座の人は、自分がそれを成しとげるということについて、徹底した確信を持っています。「やりとげないかもしれない」という不安や疑いが心に湧かないのです。そして、時間をかけても最終的には、やりとげてしまいます。ゆっくりゆっくり進むのは、意欲がないからではなく、それだけの時間が必要だから、というだけのことなのです。ほかの人なら「こんなにいつまでもできあがらないなら、もうやめた」と放り出してしまうようなことでも、牡牛座は最後までやり抜きます。

牡牛座の人々の「怒り」は、周囲の人々を文字通り「震撼」させます。牡牛座はふだん、とても温厚で、自分の怒りの感情に気づかないような人も多いのですが、ひとたび自分のなかに燃えた怒りに気づき、それをあらわにすると、誰も手がつけられないような激しい態度で攻撃を始めたり、一切を徹底的に拒否してしまったりします。自分の怒りが相手に激しい衝撃を与えることに、牡牛座の人はあまり気づいていません。

牡牛座が怒りを発すると、あくまで相手の行為に怒っているのにもかかわらず、相手に「あなたが嫌いだ」というメッセージが伝わってしまうことがあるようです。恋人や子どもなど、怒りを感じたとしても決して嫌っているわけではない相手に、誤解を与えやすいのです。ですから、怒ったあとの仲直りでは、相手への「嫌いなんじゃないよ」というフォローが大切です。

牡牛座tips

牡牛座は「所有」の星座です。

基本的に、物が好き、買い物が好き、贈り物やおみやげを買うことも大好きです。人にものをあげるときは、「相手がほしがりそうなもの」よりは、「自分がほしいもの」を選ぶ傾向があります。ものの善し悪しについては、ほとんど無邪気と言いたいほど正直なので、しばしば、なんの悪気もなく「一番いいもの」を自分に取っておき、二番手三番手の「まあまあのもの」を人に差し出すことさえあります。

とはいえ、これは貪欲とかケチなのではなく、ほとんど無意識にやってしまっているので、通常は「いいものを自分以外の人にも分けたい」と思っている、気前のよい人々です。

素晴らしい教養を身につけますし、価値ある文化や芸術、知識を、その審美眼で鋭く見抜きます。

新しもの好きではありませんが、しっかりした技術や深いセンスが感じられるものなら、新人の作品でもちゃんと評価します。年齢や肩書きなどにとらわれず、仕事やものを「それ自体」として見つめることができるため、評価にブレがないのです。

古来受け継がれた価値や伝統を信頼する気持ちは強いため、権威を重んじる傾向はあるようです。ただ、権威者が作ったものでも、そのもの自体に価値を見いださないときは、ストレートに「これはあの人の作品だけれど今回はよくないね」と言うことができる星座です。

ものの良さをシンプルに、ありのままに受け止め、愛するため、変なアレンジを加えたり、エキセントリックなアイデアに走ることはないようです。ベーシックなもの、クラシカルなもの、コンサバティブなものを喜ぶところがあり、人の目を驚かせたり注目を集めたりするためだけの目新しさには反応しません。小さい頃から好きなものが変わらない、という人も少なくありません。

なにかを選択するとき、あくまで対象「それ自体」に注目するため、全体のバランスが時として崩れてしまうこともあります。

様式美にのっとっているときは誰よりも完全なコーディネートをすることができるのですが、なんらかのスタイルが用意されていない場合、一部分に重点が置かれすぎてしまって、ほかがおろそかになる、ということもあるようです。携帯電話に使いづらいほどたくさんのストラップをつけてしまったり、手持ちのアイテムとのコーディネートをまったく考えずに気に入ったブラウスを買ってみたり、と、関係性を気にしない傾向が見うけられます。

嫌いなもの

「ナカミがない」ものが嫌いです。

また、理解しがたいような新しさや見たことのないもの、変化を急かすようなものは苦手です。

さらに、寒さや暑さ、痛み、水に濡れること、空腹など、不快な状態が続くことは耐えがたく思われます。誰でもそういうところはあるのですが、牡牛座の人はそうした身体的不快感に特に敏感です。身体的な不快を感じると、それが感情に直結するため、すぐに不機嫌になってしまいます。ただ、我慢強さは人一倍なので、だまって不快さを不機嫌さに置き換えたまま、なんの対処もせずにじっとしていたりします。

不便を間に合わせるためだけの実用品は嫌いです。本当に気に入ったものがなければ、多少生活に不都合があっても必要な道具を手に入れないこともあります。不格好なもの、不揃いなものは避けます。安売りのものよりも、通常の値段で売っているもののほうが「品質がよいだろう」と好むこともあります。アウトレットはあまり好きではないようです。

ものを捨てることや整理することが苦手な人もいます。必要ないものでも、「いつか必要になるのでは」と思えたり、単純に「捨てること」が大嫌い、という人もいます。取捨選択が苦手で、2つのうちどちらを買うかで迷ったあげく「両方買う」となったりします。

なにかを決めてしまえば迷うことなく突き進めるのですが、この「決める」ことが苦手な傾向があります。直観的に結論がわかっていても、決めてしまうまでに、少々時間がかかります。決断を急かされるとさらに迷いが深まったりします。

人の感情に気づきにくい、という鈍感さもあります。

鈍感、というと欠点のようですが、決してそうではありません。誰かが感情を害しても、それに引きずられて自分もぐらぐら揺れてしまう、ということがないのです。自分の感情は自分のものとして、しっかり自分の中心に置いているのです。このような鈍感さは、周囲の人を安心させたり守ったりする力になります。周囲の人の感情が不安定でも、牡牛座の人はそれに引っ張られず、自分で自分を安定させることができます。このように、おっとりして優しく、多少のことでは動じない芯の強さを持った牡牛座の人は、弱った人や疲れた人からおおいに頼られる存在なのです。

のびのびできる場所、窮屈な場所

五感を心地よく刺激する場所を好みます。

目を喜ばせるインテリア、観葉植物、絵や花などが飾られた空間は、牡牛座の心を充足させてくれます。殺風景で実用的なだけの景色は、牡牛座の精神を著しく疲労させ、とげとげしいものにします。香りも大変重要ですし、気温も具合よくコントロールされていなければなりません。

とはいえ、ただ美しく心地よいだけの空間では、まだ足りません。牡牛座がどこか求めているのは、「生活感」です。人がそこに生きている感触が必要なのです。ですから、ちょっとした乱雑さ、日々少しずつ積み重なる生活の匂いというものが、その場所には必要なのだと思います。

牡牛座は、大地から離れている場所を嫌います。地上何十階という高層階にはあまり住みたくないでしょう。古い本には「天井の低い平屋を好む」と書かれています。ものの少ない環境よりは、ゴチャゴチャ散らかっているほうがよい、と感じるところがあります。打ちっ放しのコンクリートの冷たさは、牡牛座の感覚には合いません。緑のない場所、土の見えない場所は、牡牛座にとっては自分の居場所とは感じられません。海や川よりは、山や草原などを好む傾向があります。波立つ不安定な場所よりは、しっかりと揺るぎない場所のほうが合っていると思います。

恋をしたとき

「熱しにくく冷めにくい」のが牡牛座の恋だと言われています。

自分に寄せられる好意にも気づきにくいようですし、自分のなかにある感情にも、どこか、鈍感です。「もしかして私は、あの人が好きなのだろうか？」という状態のまま、ずっとその疑問符を放置することさえできるのです。

これがひとたび、「好きだ」となったら、この感情は簡単には変化しません。

牡牛座の恋人ほど誠実なものはありません。劇的に燃え上がったり、激しく愛情表現したりすることはなくとも、深い愛情が心にしっかりと根を張って、ちょっとやそっとではその命を失わないのです。飽きることなどほとんどありませんし、別れたあともまたヨリを戻したりします。

恋の「最初の一歩」は、経済力や社会的な力、見た目の美しさなど、案外表面的な入口から入る傾向があります。いわゆる「面食い」も多い配置です。ですが、付き合っていくにつれて、相手の「芯の強さ」「人間としての確かさ」が重要になっていきます。しっかりと自分の道を踏みしめて生きていける人か、信頼に値する人か、ということが、愛情の軸に置かれます。

所有する、という感覚が恋愛に持ち込まれることもあります。相手は自分のものだ、という気持ちが強まると、強烈な嫉妬心を感じたり、あるいは、相手のすべてを掌握したくなったりすることもあります。相手を失うのではないかという不安は、恐怖に結びつき、じっと相手を監視してしまうような行動を取ることもあるでしょう。恐れが束縛につながることも少なくないようです。

性的にもとても深い力を持っている星座です。性的な結びつきを失うことを怖れて、恋人に過剰に執着してしまうこともあります。相手を失いたくない、という思いから、恋をするとすぐに結婚したくなる人もいます。

とはいえ、愛の星である金星に守られたこの星座の人々は、恋を楽しむこともとても上手です。一瞬燃え上がってすぐに消えてしまうようなあやふやな恋は、牡牛座の世界からはもっとも遠いものです。結婚して何年も経ってからも、ふと、相手に新しい恋心を感じるようなことも、多々あるようです。

落ち込んだとき

牡牛座の人の「落ち込み」は、責任感と結びついています。

失敗したり、悲しい気分になったりするときはいつも、その原因となった自分の行動や過去について「なにが悪かったのだろう」と、振り返ります。そして、多くの場合、自分を責め続けてしまうのです。あるいは「あの人が悪かったのだ」という、誰かを責める思いにつながることもあります。

「自分が悪かったのだ」という思いが強まるとき、牡牛座の人はなかなか前に進もうとしません。落ち込んだときも、牡牛座の人はその落ち込みを、じっと咀嚼し続けるのです。

ですが、牡牛座の人が落ち込みから解放されるときは、実に不思議なプロセスをたどります。そこには、誰かの励ましとか状況の変化は必要ないのです。牡牛座の人は、「自然に、ふわりと」落ち込みから抜け出します。この抜け出し方は、とても奇妙です。まるで何事もなかったかのように、静かに元気を取り戻し、いつもの穏やかな表情を取り戻すのです。この「変化」がどうして起こったのか、自分でもどうにも、説明がつかないだろうと思います。

誰がどう説得しても、自分でどう工夫しても抜け出せなかったトンネルから、いきなりふっと抜け出すのです。

この「脱出」には、睡眠がおおいに影響するようです。目が覚めたら違う気分になっていた、ということがしばしばあります。

ほかに、落ち込んだときの牡牛座の人を慰める方法は、安心できる場所を整え、静かに落ち着かせてあげることです。そして、なにかおいしいものを一緒に食べることが大事です。

言葉で励ましたり、「落ち込んでいても仕方がないでしょう」と諭したりすることは、あまり効果がないかもしれません。解決法を教えてあげたとしても、耳に入れてはくれないでしょう。落ち込みの原因や課題には触れず、料理や音楽、光や香りなど、五感を和ませるようにすると、だんだん風向きが変わってきます。

愚痴を聞いてあげることは非常に大事です。もし、牡牛座の人が愚痴を話し始めたら、遮ることもとがめることもなく、その流れ続ける音楽のような話をじっと聞いてあげてください。そうするうちに、相手の表情が少しずつ明るくなるのがわかるはずです。

ムリヤリ変化させようとしないことが、牡牛座の人の落ち込んだ心を、静かに癒していくのだと思います。牡牛座の人が落ち込んでいる原因のひとつは、「変化が怖い、イヤだ」という気持ちです。ですから、そのほかの条件をできるだけ「安心できるもの」にすることで、変化に立ち向かう勇気を奮い起こせるようにサポートできるというわけです。

才能の輝き

責任感の強さ、粘り強さ、少々のことでは揺るがない安定感。

これらの能力において、牡牛座は12星座のなかでも突出しています。

ひとつの役割を引き受けて、それを自分のものとして継続していく牡牛座ほど、信頼できる人はいません。隅々まで気を配り、ぐらぐら揺さぶられることなく、もっとも確実な方法を選択しながら進むことができるのです。アイデアと現実がかけ離れてしまうことはありませんし、かけ声だけかけて実務はほかの人に押しつける、というようなこともありません。自分から直接手を下し、現場から目をはなさずにいることができるのです。

さらに、牡牛座にはもうひとつ、すばらしい才能があります。

それは、感覚のゆたかさです。

世界の美しさを捉え、それを取り扱うことにかけては、牡牛座の右に出る星座はありません。色彩、音、匂い、味、手触りについて、牡牛座の人々はとても詳細に緻密に受信し、さらに、それをべつの手段を用いて再現することができるのです。この才能は、芸術やスポーツなど、あらゆる分野で生かすことが可能です。家庭生活においても、この才能は大いに威力を発揮します。居心地のよい家を作ること、生活をゆたかで快いものにすることは、牡牛座にとってとても自然なことです。自分がいとも易々とできることが、ほかの人にはどうしてそんなに大変なことなのか、理解できないこともしばしば、あるだろうと思います。

優しさや愛しさ、慈悲や憐れみ、明け方や夕方に人間が感じる不思議な陶酔感など、世の中には目に見えないけれど存在するものがたくさんあります。牡牛座の人々は、このようなものを「形にする」ことができる人たちです。

伝承によれば、キリスト教の聖者ルカは、最初に聖母マリアの絵を描いた人物、とされています。牡牛座という星座は、この聖者ルカと古くから結びつけられてきました。聖母マリアは、愛情であり、救いであり、慈しみそのものの象徴です。これを形あるもの、すなわち「絵」にしたのが、ルカだったわけです。

牡牛座の人々は皆、このルカのような作業をする才能を持っています。目に見えない「よきもの」を、目で見えるように、手で触れられるようにすることができるのです。

牡牛座の人がそこにいるだけで、周囲の人々は安定感を感じます。

不安で心細い気持ちがなんとなく和み、この場所は安全な場所だ、と感じることができるのです。牡牛座の人は、自分の判断や選択に、確信を持っています。「これで間違いない」という実感を抱いているのです。この感覚が、牡牛座の人が醸し出すなんとも言えない安定的な空気に結びついているのかもしれません。

失敗するときの傾向

牡牛座の後悔はたいてい、「変更や変化を拒んだこと」に向かいます。なにかを変えるべきときに変えられない、という不思議な癖が、牡牛座の世界の落とし穴です。特に、怒りや恐れを感じ、それを元に決断したことは、あとで後悔の種となりやすいようです。怒りや恐れからする決断は、過剰だったりばかげていたりする確率が高いものですが、牡牛座の人はいったん決断すると、それを変えられなくなってしまうのです。

この「決断」は、感情であったり、プライドであったりすることもあります。牡牛座は非常に誇り高い星座で、バカにされることや見下されることを嫌います。一度傷ついてしまうと、なかなか相手との関係を修復できない傾向も強く、そのため、大切なものを失ったことを延々嘆き続けるようなことにもなりやすいのです。

自分に合わない仕事に就いたり、自分に合わない友達と付き合ったりしても、牡牛座の人は不思議と、それを変えたがりません。口を開けば苦痛を訴える呻きしか出てこないようなときでも、なぜかその状況を進んで打開しようとしないのです。

変えたくない、とか、変えることが怖い、という気持ちが、牡牛座の人を苦痛状態に置き続けることはよくあります。

かたくなな感情のなかに自分を閉じ込めてしまったり、変化を嫌うあまり苦しい環境に居続けたりすることが、牡牛座の最大の弱点かもしれません。「途中で変える」「やっぱりやめたと言う」「気持ちを変える」というようなことは、人生のなかでしばしば、牡牛座が越えるべきハードルとなります。

先に進めない行き詰まりを感じたときは、尊敬できる友人や目上の人に、いくつか意見を求めることをおすすめします。というのも、これはまことに奇妙なことなのですが、ガチガチに凍りついた永久凍土のような頑固さに陥ってしまっているのに、時々、あなたは唐突に、子どものようにあどけなくとらわれのない耳で話を聴くことができるようになる、という、不思議な特技を持った人でもあるからです。この特技はいつも好きなときに出せるワザではないのですが、一番肝心なときにふと、顔を出すこともある、たいへん優れた才能です。

チャームポイント、体質

牡牛座の担当部位は「口、喉」です。また「手」も含まれます。

牡牛座には、声の美しい人、首のすらりとした人が多いとされています。きれいな襟のある服や首回りにポイントをおいたファッションは、あなたの姿を引き立てるでしょう。

健康の上でも、この部位はポイントとなります。調子が悪いと口内炎などが出やすかったり、風邪も喉にくるようなことが多かったりするかもしれません。

牡牛座のことば

牡牛座の文学評論家、ジョージ・スタイナーは、シェイクスピアを取り上げた論文で、その人間の五感に深くしみこむような表現のゆたかさを論じながら、現代の言語表現をこんなふうに評しています。

「現代都市社会の大衆言語は石とか花の名前と縁がないし、同様にパンの作り方を親しく表すこともできない。われわれはたしかに〈伝達《コミュニケイト》〉する。しかし、われわれの伝達の仕方は、みずからの手仕事をへない抽象的なものであるがゆえに、〈共同体《コミュニティ》〉を形作ることがないのだ。」

（『言語と沈黙』せりか書房／ジョージ・スタイナー／由良君美 他訳）

彼の評論の根本には、彼がひとりの人間として生身で感覚し体験した出来事と、「文学」がどう結びつくのか、というテーマがあるように思えます。彼はユダヤ人であり、第二次世界大戦中、両親を家族に虐殺されています。この凄まじい人間的体験は、彼の評論活動と、ほとんど直接的に結びついているようです。

「人間というものは、夕べにゲーテやリルケを読み、バッハやシューベルトを演奏しながら、朝《あした》にはアウシュヴィッツで一日の業務につくことができることができるものであることを、〈あとに〉きた我々は知ってしまった。」

（『言語と沈黙』せりか書房／ジョージ・スタイナー／由良君美 他訳）

善き芸術を愛する人々が、まったく非人間的な行為である「虐殺」を肯《がえ》んじて粛々とそれに反発することなくなし続けた、ということが、彼の評論という仕事の出発点になっているわけです。彼の生身の体験、虐殺をする人々の人間としての体験、そして、そこにあった文学。人間のからだが五感を通じておこなうことと、文学というものの結節点を、彼は真剣に徹底的に問いただすのです。

言語表現という、「五感」からかなり遠い場所にあるものが、人間の五感と結びついているはずだ、という確信が、彼の評論にはひしひしと感じられます。彼の評論は、言葉がどんな身体的経験から出てきたのか、と、人間の体にその出発点を確かめにいく行程のように見えます。

体、生活。

五感で感じ取る「この世界」、そして、体で働きかける「この世界」。

彼の思想の出発点は、彼の手元にあります。

彼の体にあり、生活にあります。

「文学評論」という、机の上で、言葉や論理を駆使して行われる活動が、こんなにも人間生活の物理的条件に結びつけられようとしている様は、慈愛と保護を聖母マリアの姿によって表現しようとした聖者ルカの姿と、不思議に重なって見えるのです。

牡牛座を支配する星

牡牛座を支配する星は、「金星」です。

金星は、愛情、女性性、快楽、喜び、美しさ、子ども、ゆたかさ、かわいらしさ、陽気さ、甘え、依存、楽観などを象徴します。

金星は神話の世界では「ヴィーナス」「アフロディテ」、すなわち、美の神です。

牡牛座の世界には、そのような要素が満ちています。

楽観的であり、物事を楽しむ力に恵まれ、創造性にあふれ、美しいものを生み出すことができます。

牡牛座の人々は、いい意味で「暢気さ」を醸し出します。

このあたたかい春の日だまりのような雰囲気は、とても心地良いものとして誰からも歓迎されるあなたの魅力です。

牡牛座の神話

昔あるところに、エウロパという大変美しい娘がありました。

大神ゼウスはその美しさに惹かれ、我がものにしようと考えました。

ゼウスは、うら若く純真な彼女に警戒されないよう策を練り、真っ白な美しい牡牛に姿を変えて彼女に近づきました。

エウロパは美しい牡牛に近づき、戯れにそれにまたがりました。

すると牡牛はやにわに海に向って走り出し、そのまま足を止めることなく彼女をさらって、海を越えました。そして、遠く離れた地で、彼女との間に子どもをもうけました。

この、大神ゼウスが美少女エウロパを奪い去ってたどり着いた陸地は、彼女の名前をとって「ヨーロッパ」と呼ばれるようになりました。

この物語を動かしているのは、「美しさ」です。

エウロパという絶世の美少女の美しさ、純白の牡牛の輝くような美しさ、それだけが、この物語の中心にあります。この物語のなかで、「美」という条件は、人と神と動物の区別も超えてしまっています。そのように超越的な美が、牡牛座のモチーフとなっているのです。

多くの宗教が、その教義のなかに「華美は罪である」と戒めます。

美しさやゆたかさは、罪と隣り合わせにあるため、人はそれを慎まなければならない、というわけです。見た目の美しさより心の美しさのほうがずっと大切である、ということになっています。

偶像崇拝も、たくさんの宗教がこれを禁止しています。

美しい寺院をたくさん生み出したキリスト教も、芸術的な仏像を無数に創造した仏教も、輝かしい宝石のようなアラベスク模様やモスクを誇るイスラム教においても、すべて「神仏を物質や形で表すことはならぬ」と主張しています。にもかかわらず、古い時代から絶え間なく、人々はおしみなく資材と時間を注ぎ込み、美しい教会や美しい仏像や美しいモスクを作り続けてきました。

これはどういうわけなのでしょうか。

おそらく、人の心の奥底では、「善なるもの」と「美しさ」とが、同じものとして扱われているのだろうと思うのです。
美しい容姿を持つ人のほうが、そうでない人よりも、信用されやすい、という説があります。たしかにそうかもしれません。凶悪事件の犯罪者が美女や美男だったとき、「あんなにきれいな人がなぜ……」というコメントを多くの人が無意識に発します。美しい容姿のアイドルは、いつの時代にも多くの人の心を惹きつけます。

牡牛座の世界には、善良さと美しさが、同じ意味を持ってどっしりと横たわっています。たとえば、今なお多くの人々の心を魅了し続ける女優、オードリ・ヘップバーンは、美しさと同時に、善良さの象徴でもあるのだろうと思います。彼女は女優を引退した後、ユニセフの親善大使として活躍しましたが、そのような「善なる心」もまた、人々が彼女を愛する理由のひとつなのでしょう。彼女の若々しく澄んだ美しさのなかに、人々は善なるものの存在を見いだしているように思えます。

五感で感知されることと、善悪のような観念とは、本来は別のものです。でも、本当は人間は、五感をフル活用して、善悪や真贋のような観念を理解しているのではないかと思います。悪や死は黒く、善や純粋さは白く、愛や喜びはバラ色に、情熱は赤に、豪華さは金色に、など、ある程度の共通認識のもとに塗り分けることができます。中国では赤は「縁起の良い色」とされているそうですし、ヨーロッパではサファイアの青を「誠実」の証としてきました。「あたたかい心」「潤いのある生活」など、手で触れ得ないものに、手で触れなければ感知できない形容を行います。

私たちは、意味や価値を、想念や関係を、無意識に身体の感覚と結びつけて捉えているのだろうと思います。情報化され、数値化され、データベース化された現代社会では、人の認識と身体的五感の結びつきをどうも、無視する傾向があるように思います。

でも、牡牛座の人々はこのことの大切さを熟知しています。人が身体で生きていて、美しさや手触りの良さ、匂いや色が、人間の生命にとってどれほど大事なことかを、牡牛座は知り抜いている星座なのです。

牡牛座と、ほかの星座の人々

「相性占い」は、とてもポピュラーです。

「牡牛座と蠍座は相性が悪い」「いやいや、本当に悪いのは牡牛座と射手座だ」など、さまざまな「鑑定」がなされているようです。

ですが私は、相性が良いとか悪いとかいうことが、12星座で決まるとは考えていません。12星座占いで考え得るのは、価値観や行動パターンの「一致点」と「相違点」だと思います。

一致しているからうまくいかない、ということもありますし、違っているからこそ補い合える部分があるとも思います。お互いに似すぎていると欠点ばかりが際立って見えますし、違いを理解できなければ犬猿の仲になる場合もあります。犬には犬の、猿には猿の個性があります。その個性の違いを理解し、うまく用いることができるかどうか、で、相性は変えることができるものだと思います。

以下、牡牛座の人がほかの星座とどう違っているのかを、一つひとつ、見ていきましょう。

牡羊座の人たちと比べると、牡牛座のマイペースはとても際立って見えます。全力で走るか、立ち止まってグズグズするか、の2つの極を行き来する牡羊座の人は、牡牛座の人から見ると理解しがたいかもしれません。牡羊座は自分から決めて先頭に立って動くのが得意ですが、牡牛座はどちらかと言えば受け身で、レシーブが得意です。ただ、牡牛座と牡羊座には共通点もあります。それは、とても「純な」ところです。ストレートで単純な構造を好み、裏表のないところはよく似ています。お互いのスピードの違いを認め合えれば、相互に欠けた部分をサポートし合える間柄です。

双子座の人々と牡牛座は、これまた、かなり違っています。ですがおそらく、あなたはそれをほとんど意識しないですむかもしれません。双子座は空気を読むのが得意ですが、とりわけ、牡牛座のペースを素早く読み取って、それに合わせてくれるからです。ただ、あなたは双子座の人に対して、ちょっと不安な気持ちになるかもしれません。目の前の相手がころころと関心の対象を変えてしまうことが理解しにくいからです。双子座の人は、変化していくことが「安定」です。あなたが変化を選択できずにいるとき、双子座の人はそれを楽にやりとげる方法を教えてくれるかもしれません。

蟹座の人と牡牛座の人には、おもしろい共通点があります。それは、ちょっと恐がりである、ということです。慣れた場所や安心できることを好むこの2星座は、「お気に入りの場所」さえ一致すれば、無二の親友になれるでしょう。ただ、蟹座の人は非常に感情的で傷つきやすい面を持っています。牡牛座のあなたは蟹座の感情の揺れに気づきにくいので、蟹座の人はストレスを溜めやすいのです。いっぽう、蟹座の感情の変化が激しくなると、牡牛座の人のほうがストレスを感じることになります。お互いのそうした特徴を理解し合えれば、思いやりの深い、すばらしい関係を築けるでしょう。

獅子座の人と牡牛座の人は、「変化を嫌う」という点でぴったり一致しています。ですから、仲良くなるとその関係がしっかり持続していく傾向があります。どちらの星座も芯の強さがあって、意見にブレがなく、自分の欲するところがハッキリしています。ですから、お互いに理解しやすいと思います。ただ、獅子座の人は「どう見えるか」を気にしますが、牡牛座は「ナカミ」を気にします。この価値観の違いが、ひょんなことからケンカにつながってしまうと、お互いに頑固で折れないため、なかなかやっかいです。お互いにプライドの所在がどの辺りにあるのかをあらかじめわかっておければ、地雷を踏まずにすむはずです。

乙女座と牡牛座の価値観は大変よく似ています。両者ともすばらしい感性に恵まれていて、好みやこだわりも近いかもしれません。いっぽう、乙女座と牡牛座の大きく異なる点は、乙女座が非常に悲観的で慎重であるのに対し、牡牛座がとても楽観的で鷹揚だ、というところです。乙女座は細かいことを気にしてやり方をどんどん変えますし、なんでも試してみるほうですが、牡牛座はやり方をほとんど変えたがりません。あなたの揺るがぬリズムと価値観は、乙女座の人にとってはすばらしい支柱に思えるかもしれません。乙女座の人が不安がっているかどうか、時々気にしてあげれば、なおうまくいくだろうと思います。

天秤座と牡牛座は、同じ金星に支配されている星座です。美と愛と楽しさに支えられている星座、という点で共通しています。ですが、牡牛座の美と、天秤座の美は、そのしくみが違っています。牡牛座の美は、絶対的な美、それそのものの美しさや見事さなのですが、天秤座の美は、バランスの良さや全体的な完成度やコーディネートの妙、なのです。喩えるなら、牡牛座は一皿の料理を味わい尽くしますが、天秤座はコース全体のバランスで評価するわけです。この差をお互いに理解し合えていれば、審美眼という点でほかに類を見ない強力なタッグを組むことができるでしょう。

蠍座と牡牛座は、心の奥底に同じパワーを秘めています。それは、「貪欲さ」です。価値あるものを自分のものにしたい、という願いがきわめて強く、その望みの強さによって強く結びつくことがあります。ですが、奇妙な相違もあります。たとえば、牡牛座は基本的に、新品を好みますが、蠍座はなぜか、中古品やヴィンテージを好むのです。さらに、牡牛座は自分が得たものを人に見せることを拒みませんが、蠍座はどこか、得たものを「隠そう」とするところがあります。このような差をお互いに受け入れ合えれば、テンポの噛み合った素敵な組み合わせとなります。

射手座と牡牛座は、徹底的に違う個性をもった組み合わせです。自由と変化と旅を愛し、危険で不安定な状態に惹きつけられる射手座は、安定を好む牡牛座から見てとても不思議な存在かもしれません。予定の変更や意見の撤回は射手座にとってなんの問題もないことですが、牡牛座はそれによって強い不安を感じます。射手座の情熱的な態度やロマンティシズムは、牡牛座から見て「ちょっと照れくさい」と感じられるかもしれません。ですが、お互いに徹底的に違っているがゆえに、不思議と惹きつけ合うことも少なくありません。さらに、ひとつだけ似ている点があるとすれば、両方とも楽観的である、ということです。牡牛座は恐がりなところもあるのですが、「どうにかなるさ」という楽観を備えています。この「どうにかなるさ」という明るさは、射手座の楽観に通じるところがあるのです。

山羊座と牡牛座は、とてもしっかりした組み合わせです。山羊座の行動力や計画力と、牡牛座の綿密な実行力は、すばらしい補完関係を作り出せます。山羊座も牡牛座も、同じ地の星座ですから、感性の鋭さや物質的な価値観はよく似ています。似ているところが多いゆえに、近親憎悪みたいなものが生まれることも、しばしばあるようです。一度結びつくと、とても居心地がよいため、ほかの相手を選ぶことはなかなか難しくなってしまう場合もあります。一緒に歩いていこうとするとき、足並みがぴったりそろう組み合わせです。

水瓶座と牡牛座は、マイペース、という点で共通しています。どちらも、自分が納得できることに、自分が納得できるだけ時間をかける、という方針を持っています。ヘンに急かされることはありませんし、空気を読むよりは空気を自分で作るほうが得意です。自分の判断に確信を持っているだけに、ぶつかり合うと、大変激しいぶつかり合いになります。ですが、激しくぶつかってもなぜかしこりが残らないのが、この両者の不思議なところです。ケンカしても感情的なこだわりが残らない、マイペースでさわやかな関係です。

魚座の人と牡牛座の人は、お互いがお互いを受け止め合うような柔らかな関係となっています。多くの場合、「自分が相手を受け止めてあげているのだ」とお互いが思っているようです。魚座が持っている気分屋でちょっといい加減なところを、牡牛座はじっくり耐えてあげますし、牡牛座の融通のきかなさやマイペースな部分を、魚座は気にせず包み込んであげているわけです。この両者がぶつかるときはたいてい、「自分ばかり我慢している」という論調になります。相手にも受け止めてもらえているのだ、と知っていれば、ぶつかることはほとんどない間柄です。

大切なひと

牡牛座のあなたを大切にしてくれている人は、まず、あなたのペースを理解してくれているはずです。あなたを急かしたり、あなたが進みたがるのを押しとどめたりするなら、その人はあなたの本当の良さを理解しているとは言い難いかもしれません。あなたの独自のペース、時間や空間に命を与えるリズムは、あなたの最大の魅力であり、個性なのです。

あなたとその人がぴったり合っているかどうかは、あたまで考えるよりも、あなたの感性に問いかけたほうがいいかもしれません。その人と一緒にいるとき、あなたは心地良いでしょうか。その人と一緒にいるときの空気を、布の手触りや匂いに喩えるとするなら、どうでしょうか。柔らかく優しい布に触っているような、良い匂いが漂ってくるような、そんなイメージが湧くならば、その人はあなたをよくわかっている人なのだろうと思います。

また、あなたは純粋で正直な人ですから、あなたを欺くような人やからかうような人は、あなたには最初から、合わないだろうと思います。

あなたを大切にしてくれている人は、あなたのリズムと感性を愛しているはずです。あなたの愛するものを、あなた自身と同じように大事にしてくれるだろうと思います。あなたの心はあなたの胸のなかだけではなく、あなたの手や、髪や、服や、持ち物や家具やあなたが育てている鉢植えの花のなかにもちゃんと宿っていることを、その人は理解してくれているはずです。

牡牛座の子ども

お母さんと子どもの性質がまったく違っている場合、子育てに不安を感じたり、子どもを否定的に批判し続けてしまったりすることもあるようです。お母さんとお子さんの性質がどのように違うのかを知ることは、必要なことだろうと思います。

ただ、子どもを占いによって知ろうとすることは、いいことではありません。子どもの可能性や性格、適性などについて、無意識のうちに型にはめてしまうようなことになりかねないからです。「この子はこういう子だ」ということを、その子どもの現状以外から考えることは、望ましいことではありません。

また、星占いでは、子ども時代の様子は、太陽ではなく月や金星で見る、という説もあります。お母さんの月の星座が、子どもを鏡のようにして現れてしまうことも少なくないようです。ホロスコープのなかで「母なるもの」「幼少時」は同じく「月」で表されるからです。

このようなことをくれぐれも、踏まえた上で、以下に、牡牛座の子どもにどんな性質が出やすいか、少しだけ触れてみます。あくまでも、これはほんの少ししか当てはまらないかもしれませんし、まったくいい加減なものであるかもしれないことをご理解ください。

お子さんにはそのお子さん独自の個性があります。

それは、占いなどでは計り知れないものであることを、ご承知おきいただきたいのです。


牡牛座の子どもは、とにかくマイペースです。

好きなことと嫌いなことがはっきり分かれていて、嫌いなことには見向きもしないかもしれません。食べものの好き嫌いが多い子もいるようですが、これは味覚が敏感なのと、とても保守的なところがあるためです。

牡牛座の子どもは、自分のやることにいちいち、時間をかけます。カンペキにできあがらないと満足しないことが多く、気に入ったことはいつまでもやっています。バランスの良さを好むお母さんや、みんなとうまくやることを重視するお母さんにとって、この牡牛座のマイペースさと頑固さは、不安以外のなにものででもないでしょう。でも、ここでしっかり時間をかけて五感を鍛え、経験を積み重ねることが、彼らにとってはもっとも大事なことなのです。

美しいもの、心地良い感触、美味しいものなど、五感を刺激することを彼らは喜びます。早いうちからスポーツやバレエ、音楽などに関心を示す子も多いでしょう。色彩感覚もするどく、さらに触覚も敏感なため、お絵かきは日常的にとても大きな喜びとなると思います。

ゆっくりと時間を使い、自分で納得できるまでやる。これが、牡牛座の子どもには大切です。さらに、牡牛座の子どもは我慢強い傾向があるので、ストレスを無意識にため込みがちです。平気そうに見えても、寂しさや悲しさを感じていることもあるので、安心できるスキンシップは必須です。

未来のこと

牡牛座から見た「時期」のことを少し、占ってみましょう。

2011年から2012年、牡牛座はとても大きな人生の曲がり角に出ます。今までやってきたことをいったんリセットしたり、新しい環境に飛び込んでいったり、あるいは、人生を変えるような出会いを体験するかもしれません。ここがひとつの、人生の「スタートライン」に当たっています。

牡牛座にとって、２０１２年という年は、とても特徴的な年です。過去10年以上にわたってあなたの社会的な目標をすこしぼやけたものにしていた星が、移動するからです。

２０１２年を境に、あなたの社会的な立場やキャリアのアウトラインが、ハッキリと際立って見えてくるでしょう。今までどこか、ぼんやりと定まらなかった光景が、いきなり霧が晴れたようにさえざえと見えてくるのです。

２０１２年から２０１４年までは、誰かとの一対一の関わりにスポットが当たります。

時間をかけて紡ぐ関係、というテーマが浮上し、人との関係を真剣に考え、結婚などの重要な決断をする人も多いかもしれません。２０１２年の夏から

２０１３年にかけては、金運が上向きになります。

２０１５年の夏から２０１６年にかけては素晴らしい愛に恵まれますし、２０１７年の秋から２０１８年は、素敵な人たちと関わることができるでしょう。

２０２０年前後には、飛躍のチャンスが訪れます。ここで大きな決断をすることになるでしょう。すでに、２０２０年のチャレンジにむかって努力していく10年間のなかにいる、という言い方もできるような、そんな転換期がそこで待っています。

おわりに

星占いが当たるものかどうか、私にはわかりません。

当たる、という人もいますし、全然当たらない、という人もいます。

少なくとも占いには、なんの科学的根拠もありません。

私は、こうして占いのことを書きますが、「占いを信じていますか」と聞かれたら、「信じていません」と答えます。

信ずべき理由がないからです。

けれども占いは、古代から現在にいたるまで、つねに人の生活の周りにありました。私たちはほんの幼い頃から、靴を蹴って明日の天気を占ったり、花をちぎって誰かの心を占ったりして遊びます。

人の心は「世界」を3つに区分けしています。

ひとつは「もう知っている世界」、2つ目は「まだ知らないけれどいつかわかるであろう世界」、そして3つ目は「決して知り得ない世界」です。

現代社会に支配的な「科学的思考」は、この3つ目の「決して知り得ない世界」の存在を、否定的に扱います。科学が発達し、研究を重ねていけばいつか、人間は世界のすべてを理解しうるのだ、と考えられているわけです。

でも、人の心はいまだに、「決して知り得ない世界」に畏れを抱き、その存在を確信しています。そしてその世界に、精霊や、死者や、オバケや妖精やドラゴンや魔術師を住まわせています。そうした人の心のしくみが、「科学的」な思考の持ち主にも、棟上のお祓いや初詣など、あらゆる魔法めいた儀式を行わせるわけです。

星占いもそうした、妖精たちの世界に属する行為です。

妖精たちは非現実的な存在で、非生産的で、非科学的です。でも、私たちの心は妖精を求めます。それに応えて、妖精たちは不思議な魔法で、私たちが生きていくのに必要なある種の力を分けてくれます。

星占いという「妖精の業《わざ》」もまた、あなたがちょっと疲労を感じたとき、その心に素敵な魔法をかけてくれるかもしれません。

太陽星座早見表

（1930年～2010年／日本時間）

太陽が牡牛座に入る時刻を下記の表にまとめました。
この時間以前は牡羊座、この時間以後は双子座ということになります。

生まれた年	期間
1953	4/20 18:24 ～ 5/21 17:50
1954	4/21 0:19 ～ 5/21 23:45
1955	4/21 5:58 ～ 5/22 5:23
1956	4/20 11:44 ～ 5/21 11:12
1957	4/20 17:41 ～ 5/21 17:09
1958	4/20 23:27 ～ 5/21 22:50
1959	4/21 5:16 ～ 5/22 4:40
1960	4/20 11:05 ～ 5/21 10:32
1961	4/20 16:55 ～ 5/21 16:20
1962	4/20 22:51 ～ 5/21 22:15
1963	4/21 4:36 ～ 5/22 3:57
1964	4/20 10:27 ～ 5/21 9:49
1965	4/20 16:26 ～ 5/21 15:50
1966	4/20 22:11 ～ 5/21 21:31
1967	4/21 3:55 ～ 5/22 3:17
1968	4/20 9:40 ～ 5/21 9:04
1969	4/20 15:26 ～ 5/21 14:48
1970	4/20 21:15 ～ 5/21 20:36
1971	4/21 2:54 ～ 5/22 2:14
1972	4/20 8:37 ～ 5/21 7:58
1973	4/20 14:30 ～ 5/21 13:53
1974	4/20 20:18 ～ 5/21 19:34
1975	4/21 2:07 ～ 5/22 1:22

生まれた年	期間
1930	4/21 5:05 ～ 5/22 4:40
1931	4/21 10:40 ～ 5/22 10:14
1932	4/22 16:28 ～ 5/21 16:05
1933	4/20 22:18 ～ 5/21 21:55
1934	4/21 4:00 ～ 5/22 3:33
1935	4/21 9:50 ～ 5/22 9:23
1936	4/20 15:30 ～ 5/21 15:05
1937	4/20 21:18 ～ 5/21 20:54
1938	4/21 3:14 ～ 5/22 2:48
1939	4/21 8:55 ～ 5/22 8:25
1940	4/20 14:50 ～ 5/21 14:21
1941	4/20 20:51 ～ 5/21 20:22
1942	4/21 2:38 ～ 5/22 2:07
1943	4/21 8:31 ～ 5/22 8:01
1944	4/20 14:16 ～ 5/21 13:48
1945	4/20 20:06 ～ 5/21 19:38
1946	4/21 2:01 ～ 5/22 1:32
1947	4/21 7:39 ～ 5/22 7:07
1948	4/20 13:25 ～ 5/21 12:56
1949	4/20 19:17 ～ 5/21 18:49
1950	4/21 0:58 ～ 5/22 0:25
1951	4/21 6:47 ～ 5/22 6:14
1952	4/20 12:35 ～ 5/21 12:01

生まれた年	期　　間
1999	4/20 21:46 ～ 5/21 20:52
2000	4/20 3:39 ～ 5/21 2:48
2001	4/20 9:35 ～ 5/21 8:43
2002	4/20 15:21 ～ 5/21 14:29
2003	4/20 21:04 ～ 5/21 20:13
2004	4/20 2:50 ～ 5/21 1:59
2005	4/20 8:38 ～ 5/21 7:47
2006	4/20 14:26 ～ 5/21 13:31
2007	4/20 20:07 ～ 5/21 19:11
2008	4/20 1:50 ～ 5/21 1:00
2009	4/20 7:44 ～ 5/21 6:50
2010	4/20 13:31 ～ 5/21 12:34

生まれた年	期　　間
1976	4/20 8:02 ～ 5/21 7:19
1977	4/20 13:56 ～ 5/21 13:12
1978	4/20 19:50 ～ 5/21 19:07
1979	4/21 1:36 ～ 5/22 0:53
1980	4/20 7:23 ～ 5/21 6:42
1981	4/20 13:18 ～ 5/21 12:39
1982	4/20 19:07 ～ 5/21 18:22
1983	4/21 0:50 ～ 5/22 0:05
1984	4/20 6:37 ～ 5/21 5:56
1985	4/20 12:25 ～ 5/21 11:41
1986	4/20 18:12 ～ 5/21 17:27
1987	4/20 23:58 ～ 5/21 23:09
1988	4/20 5:46 ～ 5/21 4:57
1989	4/20 11:39 ～ 5/21 10:53
1990	4/20 17:27 ～ 5/21 16:37
1991	4/20 23:08 ～ 5/21 22:20
1992	4/20 4:56 ～ 5/21 4:11
1993	4/20 10:49 ～ 5/21 10:00
1994	4/20 16:37 ～ 5/21 15:48
1995	4/20 22:23 ～ 5/21 21:34
1996	4/20 4:11 ～ 5/21 3:24
1997	4/20 10:04 ～ 5/21 9:18
1998	4/20 15:57 ～ 5/21 15:06

石井ゆかり（いしい・ゆかり）
独学で星占いを習得し、２０００年よりWEBサイト「筋トレ」を主宰。年間・週間の12星座占いを情緒ある文体で掲載し、のべ２０００万アクセスという異例のヒットを記録。雑誌や携帯コンテンツなどで占いを執筆するほか、星占い以外の分野でも著作を発表している。第7回Ｗｅｂクリエーション・アウォードにて「Ｗｅｂ人賞」受賞。『牡羊座』『双子座』『蟹座』『獅子座』『乙女座』『天秤座』『蠍座』『射手座』『山羊座』『水瓶座』『魚座』『12星座』（小社刊）、『星読み　ホロスコープなしでわかるあなたの運勢』『愛する人に。』（幻冬舎コミックス）、『星占いのしくみ』（共著・平凡社新書）、『禅語』『いつか、晴れる日』（共著・ピエブックス）など著書多数。

Thank you very very much, J.H!　-iy

牡牛座

2010年3月19日第1版第1刷発行　定価（本体952円＋税）
2010年10月28日　　　第5刷発行

［著者］
石井ゆかり

［発行者］
玉越直人

［発行所］
WAVE出版
〒102-0074　東京都千代田区九段南4-7-10
TEL　03-3261-3713　FAX 03-3261-3823
振替　00100-7-366376
E-mail:info@wave-publishers.co.jp
http://www.wave-publishers.co.jp/

［印刷・製本］
萩原印刷

［ブックデザイン］
石松あや（しまりすデザインセンター）
［イラスト］
スドウピウ
［DTP］
つむらともこ

ISBN978-4-87290-463-5